Chers amis rongeurs,
bienvenue dans le monde de

Geronimo Stilton

Un grand merci à Aldo Colleoni, consul de Mongolie.

Texte de Geronimo Stilton
Coordination éditoriale de Piccolo Tao *et* Topatty Paciccia.
Édition de Patrizia Puricelli, Eugenia Dami *et* Daniela Finistauri.
Coordination artistique de Gògo Gó.
Assistante artistique de Lara Martinelli.
Couverture de Giuseppe Ferrario.
Illustrations intérieures de Claudio Cernuschi *(dessin) et*
Christian Aliprandi *(couleurs).*
Graphisme de Merenguita Gingermouse, Michela Battaglin *et* 4MMG.
Cartes : archives Piemme. *Traduction de* Titi Plumederat

www.geronimostilton.com

Pour l'édition originale :
© 2006 Edizioni Piemme SPA – Via Galeotto del Carreto, 10 – 15033 Casale Monferrato (AL) – Italie
sous le titre *La valle degli scheletri giganti*
Pour l'édition française :
© 2008 Albin Michel Jeunesse – 22, rue Huyghens – 75014 Paris – www.albin-michel.fr
Loi 49 956 du 16 juillet 1949 sur les publications destinées à la jeunesse
Dépôt légal : premier semestre 2008
N° d'édition : 18091
ISBN-13 : 978 2 226 18019 3
Imprimé en France par l'imprimerie Clerc à Saint-Amand-Montrond

Stilton est le nom d'un célèbre fromage anglais. C'est une marque déposée de Stilton Cheese Maker's
Association. Pour plus d'information, vous pouvez consulter le site www.stiltoncheese.com

Geronimo Stilton

LA VALLÉE
DES SQUELETTES
GÉANTS

ALBIN MICHEL JEUNESSE

GERONIMO STILTON
SOURIS INTELLECTUELLE,
DIRECTEUR DE *L'ÉCHO DU RONGEUR*

TÉA STILTON
SPORTIVE ET DYNAMIQUE,
ENVOYÉE SPÉCIALE DE *L'ÉCHO DU RONGEUR*

TRAQUENARD STILTON
INSUPPORTABLE ET FARCEUR,
COUSIN DE GERONIMO

BENJAMIN STILTON
TENDRE ET AFFECTUEUX,
NEVEU DE GERONIMO

POURQUOI PAS UNE HISTOIRE DE FANTÔMES ? MOUAIS...

Il était **MINUIT**.

La nuit du 31 juillet.

Il faisait **CHAUD**, à Sourisia, vraiment **CHAUD**.

Enfermé dans mon bureau, dans la rédaction déserte, l'**AIR CONDITIONNÉ** poussé au maximum, j'essayais d'écrire mon nouveau livre.

Chats pirates

Pôle Nord

pandora Woz

Mais je n'y arrivais pas.

Je poussai un soupir, éteignis l'ordinateur et jetai à la corbeille une nouvelle feuille qui atterrit au sommet d'une **montagn**e de papiers froissés.

– *Par mille mimolettes*, décidément, les idées ne viennent pas, aujourd'hui... marmonnai-je.

– *Hum,* peut-être pourrais-je raconter cette aventure avec les CHATS PIRATES... non non non, je l'ai déjà fait ! *Hum,* je pourrais raconter la fois où je suis allé jusqu'au PÔLE NORD avec mon grand-père Honoré... mais il fait si chaud que je ne me vois pas en train d'écrire une histoire qui se passe sur la GLACE ! *Hum,* je pourrais peut-être raconter le jour où j'ai fait la connaissance de Pandora Woz, la meilleure amie de mon neveu adoré, Benjamin… non, il vaudrait mieux trouver un autre sujet !

Hum, si j'essayais de raconter une belle histoire de *fantômes* ?

Je commençai donc à écrire.

UNE HISTOIRE DE FANTÔMES !

CHAPITRE 1.

Il était minuit.
L'heure des fantômes !
Pourquoi, pourquoi, pourquoi
m'étais-je laissé entraîner
dans cette horrible aventure ?
Blanc comme un camembert,
tremblant comme un flan à la vanille,
je gravissais l'escalier de pierre
du château
en grelottant : BRRR...
Le bruit de mes pas
résonnait lugubrement. Enfin,
j'arrivai au sommet et je me trouvai
devant une petite porte,
qui s'ouvrit en grinçant : SCRIIIIC !

SOUDAIN,

LA LUMIÈRE S'ÉTEIGNIT

DANS MON BUREAU

ET UNE VOIX

CRIA DANS

MON DOS :

-GERONIMOO

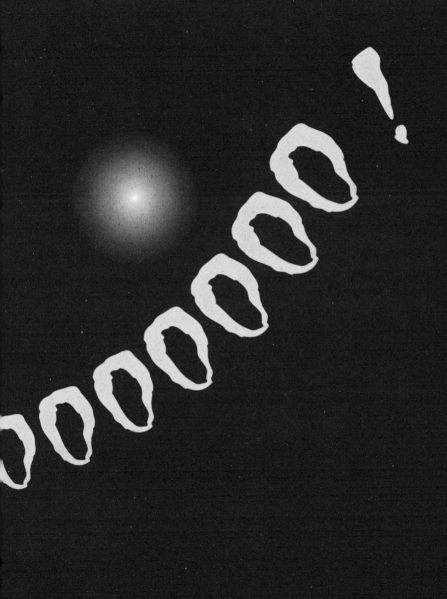

Je bégayai, terrorisé :

– Q-qui est là ?

Un rongeur grassouillet me pinça la queue et ricana :

– J'ai compris que tu écrivais une histoire de fantômes... et j'ai voulu te faire une petite blague !!!

Ha ha ha !

Ce n'était pas un fantôme... c'était mon cousin Traquenard !

Il sautilla en ricanant jusqu'à mon bureau et posa ses PATTES dessus.

–Eh oh, Geronimou ! Un peu nerveusou, non ?

Je protestai :

– Tu ne dois pas me faire peur comme ça, Traquenard ! Et puis, s'il te plaît, ne pose pas les pattes sur mon bureau !

Il ricana :

–Ha ha ha, Gerominou ! J'ai une proposition à te faire.

Je soupirai :

– Et, pour commencer, souviens-toi que je m'appelle *G-e-r-o-n-i-m-o* !

Il **SOUFFLA** :

– Mais bien sûr, Geronim*ini*,... évidemment, Geronim*ille*... O.K., Geronim*ulot*... comme tu veux, Geronim*ède*... comme tu préfères, Geronim*ace*... comme tu désires, Geronim*oche*... c'est toujours toi qui décides, Geronim*œil*... à tes ordres, Geronim*euh*... c'est toi qui commandes, Geronim*ide*... c'est toujours toi qui as le dernier mot, Geronim*oisi*...

Je hurlai, exaspéré :

– *Ça suffit ! Ça suffit ! Ça suffit ! Ça suffit ! Ça suffit ! Ça suffit ! Ça suffit ! Ça suffit ! Ça suffit ! Ça suffit ! Ça suffiiiiiiiiit !*

TU N'ES MÊME PAS CAPABLE D'ÉCRIRE LA LISTE DES COMMISSIONS !

Traquenard chicota :

– Geronim*ini*, tu es incapable d'écrire, ça saute aux yeux, tu es trop NeRVeUX ! As-tu pensé à aller voir un médecin ? Un qui s'y connaît en souris avec les NeRF? en boule, un... NeRVO-LOGUe, c'est comme ça qu'on dit, non ?

– Mais non, soupirai-je, on dit NeURO-LOGUe... Excuse-moi, ça t'ennuierait de me laisser tranquille ? Je dois *produire*, c'est-à-dire *écrire* !

Il désigna les papiers entassés dans la corbeille.

– Produiiiiiire ? C'est-à-dire que tu dois produire du papier froissé ? Geronim*oult*, tu n'arrives pas à écrire, tu es à court d'*aspiration*, tu as perdu l'*induction créatrice* !

Je le corrigeai :

– Tu veux sans doute parler de l'*inspiration*, de l'*impulsion créatrice* !

Il marmonna :

– C'est ça, ce truc-là, de toute façon, avec moi, inutile de ruser, Geronimi*lle*, je sais que tu es dans le pétrin, que tu n'es même plus capable d'écrire la

COMMISSIONS :
fromage
lait
sucre
farine

Liste Des commissions !

Tu n'arrives plus à écrire !

Euh...

J'avouai :

– Euh, en effet, j'ai quelques petits problèmes…

Traquenard ricana de nouveau :

– Je le savais ! Et c'est pour cela que je suis venu te faire une *proposition*. Je te la fais ? Hein ? Je te la fais, ma proposition, Geronim*ini* ? Je te la fais je te la fais je te la fais ?

J'**e**x**p**l**O**s**ai** :

– Oui, tu me la fais, ta proposition, et après, tu t'en vas et tu me laisses tranquille !

Il attrapa la lo**U**pe qui se trouvait sur mon bureau et me fixa.

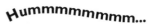

– Hummm… tu savais que tu avais des points noirs sur le museau ? On les voit très nettement avec une loupe !

Mes moustaches ᵉ tortillaient d'exaspération.

– Fais-moi ta proposition, je n'en peux plus, je vais me mettre à pleureeeeer !

Il sortit un PARCHEMIN scellé avec un CACHET de cire, et enveloppant… un os géant !!!

Puis il le déroula d'un air mystérieux…

Monts du Mystère
Grotte des Vertèbres
Collines des Tibias
Plaine des Secrets
Ici se trouve le trésor !

LE SECRET
DE LA VIEILLE CARTE

Il s'agissait d'une vieille carte JAUNIE par le temps.

Je l'admets, j'étais fort intrigué.

Je demandai à Traquenard :

– S'il te plaît, tu voudrais bien me rendre ma loupe ?

Puis j'examinai la carte avec soin. Elle représentait une zone géographique dans le désert de Gobi, en Mongolie, mais on y trouvait des noms bizarres :

Vallée des Squelettes géants !

Pic de l'Ossamoelle !

Lac des Ossements !

Grotte des Vertèbres !   Fleuve du Métatarse !

Monts du Mystère !

Plaine des Secrets !   Collines des Tibias !

Je demandai, méfiant :

– Hum, comment peux-tu être sûr que cette carte n'est pas un **faux** ?

Traquenard se lissa les moustaches.

– Je suis sûr qu'elle est *authentique*, parce que je l'ai trouvée...

À ce moment, il baissa la voix :

– Je l'ai trouvée dans la malle de notre arrière-arrière-grand-oncle COLORADO STILTON, dit « le Vagamonde », qui vivait au XIXe siècle ! Il était explorateur et faisait le tour du monde à la recherche de trésors mystérieux...

Puis Traquenard m'emmena chez lui.

Savez-vous où habite mon cousin ?

Il a une maison très originale : il vit dans un ancien 🆆🅰🅶🅾🅽 🅳🅴 🅲🅷🅴🅼🅸🅽 🅳🅴 🅵🅴🆁 de l'**ORIENT EXPRESS**... qui appartenait justement à notre grand-oncle Colorado Stilton ! Le wagon est resté comme il était à l'époque.

La malle d'oncle Colorado

Le salon est meublé de fauteuils tapissés de *velours rouge*, ceux-là même sur lesquels s'asseyaient les voyageurs autrefois. La table est dressée avec les anciens couverts *d'argent*, des assiettes de porcelaine et des verres de cristal.

Dans le coin chambre, un vieux lit aux montants de **CUIVRE** et un sommier tout en **BOIS** ! Pour les invités, il y a de drôles de lits superposés qui s'abaissent à volonté en actionnant un ressort. La salle de bains est toute en *MARBRE* blanc avec des robinets *dorés*...

ORIENT EXPRESS

C'est en 1883 que fut inauguré l'Orient Express, le premier train européen comportant des wagons-lits et un wagon-restaurant. Les voitures luxueuses ont accueilli les personnalités les plus célèbres. Aujourd'hui encore, il est possible de voyager sur ce train de légende, en parcourant le trajet classique de Paris à Istanbul, en passant par Venise !

LA MAISON

1- SALLE DE BAINS   3- LIT DES INVITÉS

2- LIT DE TRAQUENARD   4- CUISINE

5- TABLE

6- FAUTEUILS DE VELOURS

7- COIN BAR

8- MACHINE À CAFÉ

LA MALLE D'ONCLE COLORADO STILTON

Traquenard me fit un clin d'œil.

– Voilà des années et des années que je vis dans cet *ancien* wagon qui appartenait à notre arrière-arrière-grand-oncle Colorado Stilton. Il y a un mois, j'ai laissé *tomber* une petite pièce de monnaie près du lit. Comme je me baissais pour la ramasser, j'ai remarqué qu'il y avait un **bouton secret** dans le bois… J'ai appuyé et une **cachette secrète** s'est ouverte… À l'intérieur, il y avait cette malle !

Mon cousin me montra une **MALLE DE BOIS**, avec des renforts de métal, fermée par un cadenas sur lequel étaient gravées les initiales **CS**.

DANS LE SOMMIER DU LIT, J'AI DÉCOUVERT UN BOUTON SECRET. JE L'AI PRESSÉ...

... SOUDAIN, UNE CACHETTE SECRÈTE S'EST OUVERTE...

... À L'INTÉRIEUR, IL Y AVAIT CETTE MALLE !

Il ouvrit alors le cadenas et souleva le couvercle.

– Voici la pioche, la lampe à pétrole et le tamis d'oncle Colorado quand il participa à la **RUÉE VERS L'OR...** Voici la boussole et la longue-vue qu'il utilisait quand il cherchait des trésors dans le golfe du **MEXIQUE...** Voici la gourde, et le chapeau qu'il portait quand il a traversé le désert du **Sahara** à dos de

chameau... Voici la pagaie et le chapeau avec moustiquaire dont il s'était muni pour descendre en pirogue le **fleuve Amazone...** Voici les skis, le bonnet et le sac à dos avec lesquels il est arrivé au **PÔLE NORD**.

Traquenard baissa la voix :

– C'est là, dans cette malle... que j'ai trouvé son journal intime et une carte !!!

CHAPEAU AVEC MOUSTIQUAIRE

PAGAIE

FLEUVE AMAZONE

PÔLE NORD

SKI EN BOIS

BONNET DE LAINE MANGÉ PAR LES MITES

SAC À DOS AVEC SAC DE COUCHAGE

UN GARS, OU PLUTÔT UN RAT, TRÈS ORIGINAL !

Traquenard commenta, nostalgique, le journal qu'il feuilletait :

– Oncle Colorado raconte une foule d'*AVENTURES* dans ces pages ! Ah, comme j'aurais aimé le connaître. C'était un gars, *ou plutôt un rat,* très original. Et ce n'est pas pour dire, mais je lui ressemble beaucoup…

J'étais très **curieux** :

– Mais de quoi vivait-il, l'oncle Colorado ?

Traquenard eut une réponse assez vague :

– Bah, on n'a jamais vraiment su… Il se débrouillait… comme moi, quoi ! Il avait la passion des voyages et faisait le tour du *MONDE* à la recherche de *TRÉSORS* cachés. Pauvre tonton, il a fini par servir de repas aux crocodiles du **fleuve Amazone**…

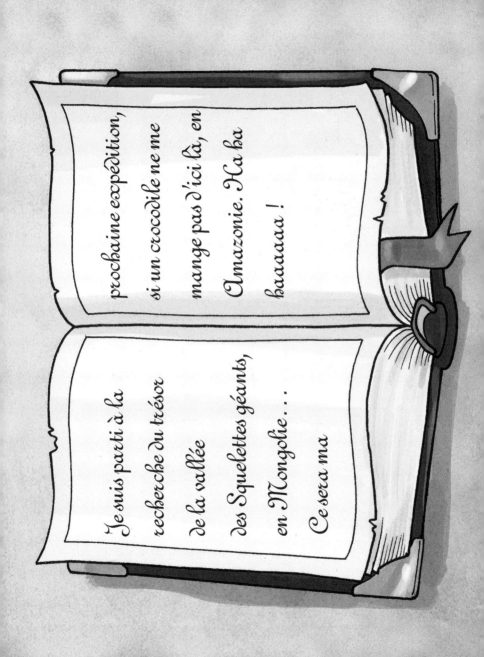

Je suis parti à la recherche du trésor de la vallée des Squelettes géants, en Mongolie... Ce sera ma prochaine expédition, si un crocodile ne me mange pas d'ici là, en Amazonie. Ha ha haaaaaa !

COLORADO STILTON

Il reprit la carte et me la secoua sous le museau.

– Geronim*euh*, tu vois le X, ici ? C'est là que se trouve le *TRÉSOR* ! Téa, Benjamin, toi et moi, nous allons partir à la recherche de ce trésor dans le DÉSERT DE GOBI, en Mongolie : à notre retour, je serai riche et toi... tu auras enfin une *histoire à écrire* !

J'étais très dubitatif :

– Hum, mais y a-t-il vraiment un trésor caché en MONGOLIE ?

Traquenard hurla :

– Geronim*ec*, si tonton Colorado a dit qu'il y avait un *TRÉSOR* en Mongolie, c'est qu'il y a un trésor, un point, c'est tout ! Tu veux partir, oui ou non ?

Je soupirai :

– *Hummm...* je viens avec toi. Mais pas pour le trésor, l'argent ne m'intéresse pas. Ce qui me plaît, c'est l'idée que notre famille va mener à bien le dernier voyage PLEIN D'AVENTURES de l'oncle Colorado...

Traquenard ricana :

– Hi hi hi, Geronim*oïde*, tu es toujours aussi sentimental*oïde* et romantic*oïde* et intellectual*oïde*...

Moi, au contraire, je suis un gars, *ou plutôt un rat*, pratique, je m'intéresse à l'ⓞr, j'aime ce qui est **très en ⓞr**, c'est-à-dire les **trésⓞrs** ! J'aime le mot « trésor », il sonne bien, très bien, très très bien...

LA FAMILLE STILTON VA VOYAGER UNIE !

Traquenard téléphona à Téa pour la convaincre de partir avec nous :

– Allô, Téa ? J'ai une *méga-idée* à te proposer... Veux-tu partir en Mongolie avec moi et Geronimœil ? Pour rechercher un trésor... oui, tu as bien compris, un trésor, *T-R-É-S-O-R* ! J'ai besoin que tu viennes pour faire les **PHOTOS** de l'expédition. Ça t'intéresse, hein ? J'en étais sûr, je sais que les **SCOOPS** te font tortiller les moustaches... O.K., *cousinette*, on se voit demain matin à l'aéroport.

Puis il téléphona à Benjamin :

Allô ?

– Allô, Benjamin ? C'est tonton Traquenard. Veux-tu partir avec nous à la recherche d'un trésor ? J'ai besoin d'un assistant... Oui, en effet, il y aura Geronim*ort*... Ça t'intéresse, hein ? J'en étais sûr, je sais que partout où va tonton Geronim*ou*, tu y vas toi aussi... O.K., mon neveu, on se voit demain matin à l'aéroport... Il raccrocha, ravi.

– Tu as vu ça, Geronim*ulot* ? Tout est O.K. ! Une fois de plus, la famille Stilton va voyager **UNIE** !

J'étais de plus en plus curieux :

– Téa te servira de photographe et Benjamin d'assistant... mais pourquoi tiens-tu tant que cela à m'emmener *moi* ?

Il lança d'un ton effronté :

– Parce que j'ai besoin de quelqu'un qui crache le **BLÉ**, enfin, qui sorte son portefeuille... À propos, tu ne me donnerais pas, je ne sais pas, **5** ou plutôt **10** ou plutôt **20 000** gros billets ?

Je m'écriai :

– Il n'en est pas question, aussi vrai que je m'appelle *Geronimo Stilton* !

Traquenard soupira :

– Ah, pauvre oncle Colorado, il aurait honte s'il savait qu'il a un neveu aussi **radin**...

Je m'exclamai :

– Bon, d'accord... je te fais un chèque. Mais c'est uniquement pour l'oncle Colorado que je fais ça !

J'AI
UN MESSAGE !

Ce soir-là, j'étais tellement **excité** que je n'arrivais pas à m'endormir.

Je ne cessais de *me tourner* et de *me retourner* dans mon lit, en pensant que je ne savais absolument rien de la Mongolie.

Puis il me vint une inspiration et je téléphonai à PATTY SPRING.

Connaissez-vous Patty Spring ? C'est une rongeuse vraiment **EXCEPTIONNELLE** : elle est journaliste à la télévision et parcourt la planète pour défendre l'environnement et sauver la **NATURE**. Et c'est aussi une excellente amie ! Elle est sympathique, intelligente et également très jolie... Bref, vous l'aurez compris, j'ai un faible pour elle ! ♥

Je lui téléphonai donc :

– Allô, Patty ? Je dois partir pour un voyage en **MONGOLIE**, dans le désert de Gobi. À ton avis, euh, qu'est-ce qui m'attend là-bas ?

Elle *éclata de rire* :

– Tiens-toi bien, G. Tu as choisi la seule période de l'année où il pleut en Mongolie ! Tu dois te préparer aux **AVERSES**, G ! Mais dans le désert, tu seras au sec... et même un peu trop !

PATTY SPRING

Je m'écriai, inquiet :

– **QUOIII ?** Dans ces conditions, je ne pars pas !

Elle insista :

– Non, G. Le désert de Gobi est l'un des endroits les plus **mystérieux** et fascinants de la planète ! Je t'envoie tout de suite un email avec toutes les informations sur la Mongolie !

Quelques minutes plus tard, l'écran de l'ordinateur CLIGNOTA.

– J'ai un message ! m'exclamai-je, tout en m'asseyant à mon ordinateur pour lire le courriel de Patty.

MONGOLIE

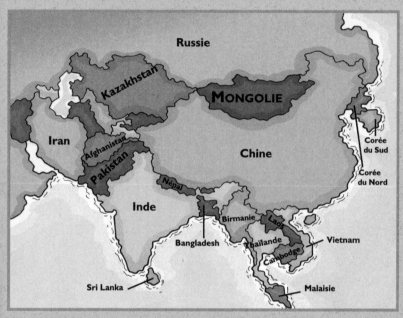

SUPERFICIE : 1 564 160 km².

POPULATION : 2 472 000 habitants.

VOISINS : Russie (nord) et Chine (sud, est, ouest).

CAPITALE : Oulan-Bator.

FORME DE GOUVERNEMENT : République démocratique.

LANGUE : mongol.

MONNAIE : tugrik.

CLIMAT : continental (– 60 °C / + 30 °C).

On l'appelle également MONGOLIE-EXTÉRIEURE, pour la distinguer de la MONGOLIE-INTÉRIEURE, région autonome de la République populaire de Chine.

L'ENVIRONNEMENT

La Mongolie s'étend sur un territoire très vaste, qui comprend quatre zones géographiques principales.

À l'OUEST se dresse la grande chaîne montagneuse de l'Altaï, où vivent de nombreuses tribus nomades.

Au NORD se trouvent les grands lacs, les prairies et les forêts denses de la taïga, c'est-à-dire des forêts de pins, de sapins, de mélèzes et de séquoias.

Du CENTRE à l'EST s'étendent la steppe, zone à la végétation pauvre, et la région des hauts plateaux.

Au SUD, le paysage est dominé par le désert de Gobi, la zone la plus faiblement peuplée.

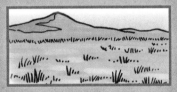

LE CLIMAT

Pendant l'hiver, la température peut descendre jusqu'à − 40 °C dans la capitale et à − 60 °C dans la taïga. De juin à août, en été, elle monte jusqu'à 25 ou 30 °C ! Les mois de juillet et août sont les plus pluvieux, avec des averses de forte intensité.

LA FAUNE

Les traditions et les coutumes mongoles, qui se transmettent de génération en génération et qui, aujourd'hui encore, constituent un aspect fondamental de la vie quotidienne, sont toujours inspirées par une attitude de profond respect envers la nature et les autres êtres vivants. Par exemple, les typiques bottes mongoles (les *gutul*) ont les bouts relevés vers le haut pour que, en marchant, celui qui les porte ne blesse pas les petits animaux.

D'après les anciennes croyances mongoles, il existe cinq animaux sacrés : le cheval, le chameau, le yak, la chèvre et la brebis.

En Mongolie, on trouve encore quelques espèces d'animaux très rares, comme le rat-kangourou, l'ours de Gobi, le chameau sauvage, le cheval de Przewalski et le légendaire léopard des neiges, dont il ne subsiste que très peu d'individus dans les montagnes de l'Altaï.

CHEVAL DE PRZEWALSKI

LÉOPARD DES NEIGES

GENGIS KHAN

En langue mongole, le nom Gengis Khan signifie « Seigneur universel ». C'est le surnom du légendaire héros Temüdjin (vers 1155-1227). Fils d'un chef de tribu de la Mongolie orientale, il parvint à unifier toutes les tribus sous son autorité.

Il fonda une armée puissante grâce à laquelle il put asservir les populations nomades turques et mongoles. En 1206, il fut proclamé chef suprême avec le titre de « Gengis Khan ».

Il commença alors à étendre sa domination sur d'autres territoires et fonda l'Empire mongol, le plus grand dont l'histoire se souvienne.

Gengis Khan conquit la Mandchourie, attaqua la Grande Muraille de Chine et, en 1215, après un long siège, prit Pékin. Il réussit même à soumettre l'Empire turco-iranien.

Il mourut des suites d'une chute de cheval en 1227, alors que son empire s'étendait de la mer de Chine à la mer Caspienne, du golfe Persique à la Sibérie.

Aujourd'hui encore, à Oulan-Bator, on célèbre, le 11 et le 12 juillet, des fêtes en l'honneur de Gengis Khan, avec tournois, musiques et danses.

EN ROUTE POUR LA MONGOLIE

Le lendemain matin, nous allâmes à l'aéroport de Sourisia et partîmes pour OULAN-BATOR, capitale de la Mongolie.

Avant de monter dans l'avion, Traquenard nous donna un conseil :

– Ne racontez notre **SECRET** à *personne* ! Ne parlez du *TRÉSOR* de notre oncle à *personne* ! *Personne* ne doit imaginer que nous sommes en **MISSION** !

Durant le voyage, j'écoutai de la musique au casque, je regardai un film, goûtai au déjeuner qu'on nous servit... et lus le GUIDE DE LA MONGOLIE que m'avait conseillé Patty Spring : il contenait aussi un très utile minidictionnaire de langue mongole !

Le voyage fut très agréable. J'étais assis à côté d'une charmante rongeuse qui ne cessait de me SOURIRE. Elle était grande et mince, avec des cheveux blonds attachés en queue-de-cheval. Elle avait des lunettes à verres colorés en **BLEU** et portait un veston couleur KAKI.
Mais je suis un gars, *ou plutôt un rat*, assez timide, et je n'eus pas le courage de me présenter…

Enfin, nous atterrîmes à OULAN-BATOR, en Mongolie. Quelle chaleur !

Traquenard annonça :

– Le voyage n'est pas fini : nous devons prendre un avion, un autocar et puis... une surprise !!!

Je pris place à bord d'un petit aéroplane rafistolé de partout pour aller jusqu'à DALAN DZADAGAD, dans la région du désert de Gobi : *la rongeuse blonde monta elle aussi à bord de l'appareil !*

Un autocar…

Puis je montai dans un AUTOCAR tout déglingué qui devait nous conduire aux portes du désert : *la rongeuse blonde monta elle aussi dans l'autocar !*

Puis… ce fut la surprise : nous devions terminer notre périple dans le désert avec la *caravane de chameaux* d'une tribu mongole : *la rongeuse blonde monta elle aussi sur un chameau !*

Eeeh ! Un chameau ?

Je protestai auprès de Traquenard :

– Mais ce voyage est **CAUCHEMAR-DESQUE** !

Traquenard ricana :

– Allez, Geronim*esque,* soit tu montes sur ce chameau… soit on te laisse tout seul ici !

Je n'avais pas le choix : je montai sur le chameau… qui partit au galop !

Ouille ouille ouille, quelle trouille !

LE VOYAGE DE GERONIMO STILTON EN MONGOLIE

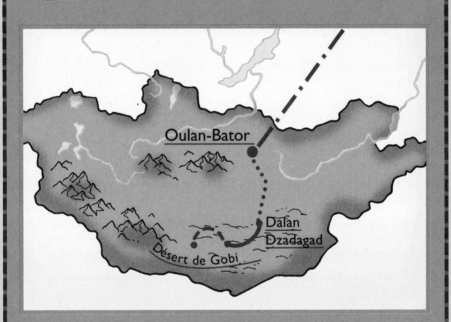

Oulan-Bator

Dalan
Dzadagad

Désert de Gobi

AVION

AÉROPLANE

AUTOCAR

CHAMEAU

UNE CHARMANTE RONGEUSE BLONDE

À la fin de la journée, la caravane s'arrêta pour la nuit. La tribu mongole alluma un **FEU** et nous nous retrouvâmes tous ensemble pour le repas.

Je revis la rongeuse blonde, qui me SOUrit.

KARINA
VON FOSSILEN

– Ooooh, permettez-moi de vous poser une question : ne seriez-vous pas Geronimo Stilton ? Le célèbre directeur de *l'ÉCHO DU RONGEUR*, le plus fameux journal de l'île des Souris ?

Je rougis et lui fis le **BAISEPATTE** (je suis un véritable *noblerat*, je baise toujours la patte des dames !).

– Oui, mon nom est Stilton, *Geronimo Stilton* !

Elle semblait ravie :

– Et moi, je suis **KARINA VON FOSSILEN**.

Je m'illuminai :

– Madame von Fossilen, je vous connais de réputation ! Vous êtes la directrice du *musée d'Histoire naturelle* de Sourisia, n'est-ce pas ? Je sais que vous êtes spécialiste de *paléontologie*, la science qui étudie l'origine des fossiles.

Nous bavardâmes longuement **autour** du feu. Karina von Fossilen s'intéressait beaucoup à moi :

– Monsieur Stilton, vous a-t-on jamais dit que vous étiez un rongeur exceptionnel ? Vous êtes charmant... intelligent... captivant... brillant... bref, je suis très *ÉMUE* de vous connaître !

Puis elle me posa mille questions :

– Puis-je vous demander pourquoi vous êtes ici, monsieur Stilton ? Vous n'avez pas l'air d'être un touriste en vacances...

C'est alors que je trahis notre **SECRET** :

– Euh, je suis ici avec ma famille à la recherche

d'un **mYStérieUX** trésor dans le désert de Gobi. Nous avons trouvé une carte et...

Elle s'exclama :

– Une **carte** ? Ooooh, monsieur Stilton, vous parlez toujours de choses passionnantes !

Téa murmura à mon oreille :

– Geronimo, attention à ce que tu dis. Je n'ai pas confiance dans cette rongeuse !

Je protestai :

– Téa, tu es jalouse parce qu'elle est jolie et sympathique et intelligente !

Ce soir-là, PATTY SPRING me téléphona.

Je lui racontai que j'avais fait la connaissance de Karina et elle avoua sa surprise :

– Je ne savais pas que Mme von Fossilen était une aventurière !

Puis je rentrai sous ma tente et me glissai dans mon sac de couchage, mais je ne pus fermer l'œil, parce que je grelottais à cause du froid. Dans le désert, les journées sont *TRÈS CHAUDES*... et les nuits **TRÈS FROIDES** !

Moi, Ogotaï,
je serai votre guide !

Le lendemain matin, je cherchai Karina, mais elle avait mystérieusement disparu.

Le chef de la caravane me dit qu'elle était partie à l'aube... Bizarre, très BIZARRE !

Je remontai sur mon chameau, mais j'étais encore tout endolori de ma chevauchée de la veille. Un

OGOTAÏ

rat s'approcha de moi : il était petit et sec, avait des moustaches frisées et un regard fuyant.

Il dit :

– Noble Voyageur, préfères-tu poursuivre ton voyage à bord d'une confortable automobile ou sur le dos de ce chameau puant ?

Je m'éclairai :
– On peut continuer en voiture ?
Il ricana :
– Noble Voyageur, il suffit de **PAYER**… et moi, le très humble **OGOTAÏ**, je résoudrai tous tes problèmes !
Il me montra une Jeep flambant neuve, qui **RUTILAIT** sous le soleil du désert. Benjamin me tira par la veste, en murmurant :
– Tonton, attention, ce gars, *ou plutôt ce rat*, ne me plaît pas du tout !
Je protestai :
– Mais non, il essaie de nous aider ! Et il nous sera très utile !
Ogotaï s'écria :
– Noble Voyageur, moi, Ogotaï, je serai votre **GUIDE** ! Je vous conduirai où vous voulez !
Je sortis la carte d'oncle Colorado et dis :
– Nous devons aller dans la vallée des Squelettes géants !

Ogotaï proposa :

– Noble Voyageur, confiez-moi votre carte...

Mais Traquenard me dit tout bas :

– Méfie-toi !

Je ꕷＯᵾᵱｉｒᵃｉ :

– D'accord, je ne lui donne pas la carte, mais nous partons avec lui.

Ogotaï essaya encore de nous convaincre :

– Noble Voyageur, ma Jeep est équipée de l'air conditionné, de sièges ꧄ⅇⅿⅾⅹⅆⅇ rembourrés et MOELLEUX, d'une chaîne stéréo ; à bord, j'ai des BOISSONS FRAÎCHES et de l'excellente nourriture...

Traquenard craqua :

– Il y a à boire ? Il y a à manger ? **POUSSEZ-VOUUUUUUS !**

Et il se précipita dans la Jeep d'Ogotaï, tandis que Téa, Benjamin et moi le suivions.

NOUS VOYAGEÂMES TOUTE LA JOURNÉE. NOUS VOYAGEÂMES TOUT LE JOUR SUIVANT.

ET CELUI D'APRÈS ENCORE.

Je commençai à être très INQUIET.

Pourquoi n'étions-nous pas encore arrivés ?

On est encore loin de la vallée des Squelettes géants ?

Le soir du troisième jour, j'étais vraiment très INQUIET.

Mes compagnons n'arrêtaient pas de me répéter :

– On t'avait bien dit de te méfier…

Je pris **OGOTAÏ** à part.

– On est encore loin de la vallée des Squelettes géants ?

Il répondit d'un air vague :

– *Hemmm,* Noble Voyageur, il faut encore rouler un peu…

J'insistai :

– Mais où se trouve-t-on ?

– Noble Voyageur, vers le **SUD**, vers le **NORD**, à **DROITE** ou à **GAUCHE**, plus ou moins…

Je compris que ce n'était pas un guide expérimenté.

– Ogotaï, tu m'as menti. Tu n'es pas capable de nous conduire à la vallée des Squelettes géants !

Il protesta :

– Noble Voyageur, je saurai t'y emmener... si seulement je pouvais voir la carte !

Je SOUPIRAI, pris la carte et la tendis à Ogotaï.

Dès qu'il la vit, ses yeux BRILLÈRENT.

– Noble Voyageur, maintenant, ton guide Ogotaï saura te conduire à la vallée des Squelettes géants !

Nous sommes JUSTE À CÔTÉ !

TOUT ÇA, C'EST LA FAUTE DE GERONIMO STILTON !

Nous allâmes nous coucher, pleins d'espoir.

Je restai un moment à regarder le **ciel étoilé**...

Comme c'était romantique !

J'étais triste, parce que **KARINA VON FOSSILEN** était partie. Où pouvait-elle bien être ? Pourquoi ne m'avait-elle même pas dit au revoir ? Elle m'avait bien dit, pourtant, que je lui étais **sympathique** !

Le matin, nous eûmes une très mauvaise surprise.

Dans le campement, il manquait **3 CHOSES** :

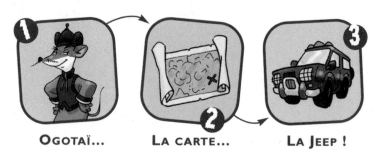

OGOTAÏ...   **LA CARTE...**   **LA JEEP !**

Quant à moi, je devais affronter
3 PROBLÈMES :

Mes compagnons me passèrent un savon :
– On te l'avait bien dit, Geronimo, de te méfier !
J'essayai de paraître calme :
– Tout va bien se passer. Il est vrai que nous sommes au milieu du désert, que nous ne savons pas dans quelle direction aller, que nous n'avons aucun moyen de transport, mais tout ira bien...
Après quoi, j'éclatai en sanglots :
– *Par mille mimolettes*, la vérité, c'est que nous sommes vraiment dans de **BEAUX DRAPS** ! Et tout ça, c'est ma faute !
Téa soupira :
– Assez pleurniché !

Mettons-nous en route !

MON COUSIN TRAQUENARD...

MA SŒUR TÉA...

MON NEVEU BENJAMIN...

UNE TERRIBLE
TEMPÊTE DE SABLE

Nous commençâmes une lente marche dans le désert. Marcher dans le SABLE était épuisant. En plus, Ogotaï avait emporté toute notre EAU et toute notre nourriture !

Combien de temps pouvions-nous tenir dans cet immense désert de Gobi ?

Je me plaignis :

– Hélas, ça ne pouvait pas être PIRE !

Traquenard marmonna :

– Crois-moi, la situation peut encore empirer. Par exemple, si une TEMPÊTE DE SABLE se déclenche !

Soudain, comme pour illustrer ses paroles, un

VENT très fort commença à souffler. Le sable autour de nous se mit à

 *tourbillonner...*

Traquenard cria :
– Une **TEMPÊTE DE SABLE** ! Vite, mettons-nous à l'abri !
Téa répliqua :
– À l'abri ? Où ça ? Nous sommes au milieu du désert ! Nous nous serrâmes les uns contre les autres, puis nous appliquâmes un mouchoir sur le museau pour nous protéger le nez et la bouche du sable qui s'infiltrait partout.

La **TEMPÊTE** était de plus en plus forte et le vent hurlait sauvagement.

Je balbutiai :

– Mes amis… c'est ma faute si notre vie est en danger… pardonnez-moi.

Puis, au moment où tout semblait perdu, nous vîmes deux silhouettes qui avançaient.

Une voix demanda :

– *Tuslaarai ?*

Je me souvins d'avoir lu ce mot dans le mini-dictionnaire du GUIDE DE LA MONGOLIE : en mongol, *tuslaarai* signifie « au secours ».

Je criai :

SAIN
BAIN UU ?

Nous suivîmes les deux mystérieux inconnus jusqu'à une TENTE plantée au milieu du désert.
Nous avions été sauvés par... deux enfants de
l'âge de mon neveu Benjamin !
Je murmurai :

– *Us* ! (De l'eau !)

Ils nous tendirent une gourde pleine d'**EAU**.

– *Baiarlalaa* ! (Merci !)

C'est alors qu'arrivèrent leur mère et leur père, qui nous demandèrent :

– *Sain bain uu* ? (Bonjour, comment allez-vous ?)

Je feuilletai le minidictionnaire et répondis :

– *Sain ta sain bain uu* ? (Bien, merci, et vous ?)

Avec l'aide du minidictionnaire, nous arrivâmes à discuter un peu avec les **AMIS** qui nous avaient sauvé la vie.

Nous étions dans une typique TENTE mongole, appelée *gher*. Elle mesurait environ vingt mètres carrés, mais contenait tout ce dont on peut avoir besoin.

L'intérieur était peint en **ORANGE**, parce que d'après les croyances mongoles, cette couleur réchauffe et porte bonheur.

Wanana   Makido

Au centre était un poêle à **BOIS**, pour la cuisine et le chauffage.

Les Mongols se réunissent autour du poêle comme nous le faisons autour de la télé… mais eux, ils discutent !

Le sol était jonché de tapis COUSUS à la main par les femmes de la famille.

Tagik

Helela

Il y avait aussi quelques tabourets et une **TABLE BASSE** pour servir le thé.

Près de la porte, je vis un bassin rempli d'eau pour se laver. À gauche était le lit des enfants. À droite, celui des parents.

Il y avait aussi un **COFFRE**, dans lequel étaient conservées toutes les affaires de la maîtresse de maison.

A - Lavabo
B - Selle et harnachement
C - Outre de cuir pour la fermentation du lait de jument
D - Lit des enfants
E - Garde-robe, coin pour les hôtes de marque
F - Coffre pour les objets du maître de maison
G - Meuble pour les objets précieux
H - Coffre pour les objets de la maîtresse de maison
I - Lit des parents
L - Thermos et divers objets domestiques
M - Tapis
N - Poêle à bois
O - Table pour servir les repas et le thé

L'AMITIÉ N'A PAS DE FRONTIÈRES…

Nos amis préparèrent un repas à base de viande et de lait.

Ils servirent de délicieuses **SAUCISSES** de mouton accompagnées de *buz*, gros raviolis à la viande et aux oignons cuits à la vapeur, et une salade de *CHOU VERT*. Je dégustai aussi un bouillon à la viande de brebis.

Nous bûmes du **LAIT** de jument tiède et un thé salé très bizarre.

C'étaient des mets simples, mais on nous les avait offerts avec une telle *générosité* que cela me sembla le meilleur repas de ma vie !

Comme l'accueil de cette famille était affectueux ! Nous étions perdus dans un désert solitaire et **INHOSPITALIER**, à des kilomètres et des kilomètres de notre île… et pourtant, nous nous sentions comme chez nous !

C'est ça, le pouvoir magique de l'**Amitié** : elle permet que vous vous sentiez chez vous où que vous soyez !

Après le repas, **Helela** nous raconta une très belle légende mongole !

Benjamin demanda à **Wanana** et **Makido** un morceau d'écorce, sur lequel il dessina quelque chose à l'aide d'un bâtonnet trempé dans du jus de myrtille.

Qu'était-ce donc ?

LES DEUX CHEVAUX

Dans la prairie, deux chevaux voyageaient à la recherche de pâturages plus verts. Un jour, le plus vieux dit :

— Moi, je m'arrête ici. Continue le voyage seul, mon jeune ami, et souviens-toi : ne t'approche jamais de ce qui t'est inconnu et n'ouvre jamais des paquets ou des sacs si tu ne sais pas ce qu'ils contiennent.

Après quoi, ils se dirent au revoir. Le jeune cheval s'éloigna au galop. Peu après, au milieu de la route, il trouva un gros sac. Et, malgré les avertissements de son vieux compagnon, il décida de l'ouvrir.

Il aurait mieux fait de s'abstenir ! Du sac sortit un loup affamé qui voulait le manger.

Heureusement, un lapin très malin passait au même moment. Il lui demanda :

— Excusez-moi, monsieur le Loup, mais étiez-vous vraiment caché dans ce sac ? Je n'arrive pas à le croire. Comment une bête aussi grande et aussi grosse que vous peut-elle tenir dans un sac si petit ?

— Bien sûr que je tiens là-dedans, et je vais te le prouver !

Cela dit, il se glissa dans le sac.

Très vite, le lapin ferma le sac avec une ficelle et le loup se retrouva à nouveau prisonnier. Le cheval et le lapin devinrent de grands amis, et si tu regardes bien dans la prairie, tu les verras peut-être qui courent encore, ensemble, tout joyeux.

DANS LA VALLÉE
DES SQUELETTES GÉANTS

Je demandai à nos amis :

– Sauriez-vous nous accompagner dans la vallée des Squelettes géants ?

Ils SECOUÈRENT la tête.

– *Ugui !* (Non !)

J'étais contrarié :

– Tout ça, c'est ma faute. J'ai donné la carte à Ogotaï. Nous ne réussirons jamais à trouver le TRÉSOR d'oncle Colorado ! Oh, comme je suis malheureux !

Benjamin murmura :

– Oncle Geronimo, j'ai une surprise pour toi. J'ai essayé de dessiner la carte de mémoire. La voici !

Il me tendit le morceau d'écorce sur lequel il avait dessiné la carte avec du jus de myrtille.

Je l'embrassai.

– Mon petit neveu chéri, ma petite lichette d'emmental, petit souriceau de mon cœur, JE T'ADORE !

Puis je montrai la carte à nos amis.

– Voilà où se trouve la vallée des Squelettes géants. Sauriez-vous nous y conduire ?

Ils sourirent.

– *Tiiim !* (Oui !)

Comme il était très tard, nous décidâmes d'attendre l'aube pour partir et nous allâmes dormir.

Le lendemain, ils chargèrent des **COUVER-TURES**, de la nourriture et des gourdes d'eau sur les chameaux.

Au cours du voyage, je regardai, enchanté, la beauté de la nature : là, la pollution n'était pas arrivée !

Autour de nous s'étirait le même panorama qu'avait admiré le grand empereur mongol GENGIS KHAN : les mêmes dunes de sable, le même ciel BLEU.

Un vent sauvage soufflait, qui faisait se tortiller mes moustaches et tourbillonner furieusement le sable qu'il soulevait.

Soudain, j'aperçus quelque chose de blanchâtre au milieu du sable.

C'étaient les os d'un…

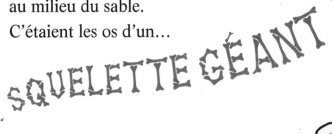

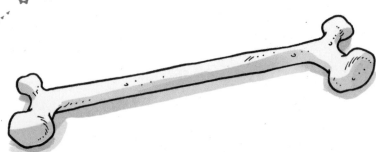

LE TRÉSOR D'ONCLE COLORADO !

PATTY SPRING

J'effleurai ce squelette géant. À quel animal avait-il appartenu ?

Je téléphonai aussitôt à mon ami Patty Spring :

– Salut, Patty ! Je suis dans le désert de Gobi, et je me trouve devant un squelette complet long de **10 mètres** environ... À ton avis, de quel animal s'agit-il ?

Elle poussa un cri :

– Un squelette ? Complet ? Long d'environ 10 mètres ? Mais c'est une découverte exceptionnelle ! Ça pourrait être un TARBOSAURE, un dinosaure semblable au Tyrannosaurus Rex !

Je commentai :

– Bizarre, il y a des morceaux de peau attachés aux os...

– De la peau ? Attachée aux os ? Mais alors c'est une découverte encore plus EXCEPTIONNELLE ! Pour la science, c'est un TRÉSOR inestimable !

Dans mon dos, Traquenard marmonna, déçu :

– Un TRÉSOR ? Pour la science ? Et pour le pauvre Traquenard, rien du tout ? Moi, je voulais devenir riche…

J'essayai de lui expliquer :

– Dans le monde, il y a *plein* de trésors différents. Mais ils ne sont *pas tous* en OR et en pierres précieuses !

Puis j'annonçai à mes amis :

– Et maintenant, au travail. Nous devons dégager les os du dinosaure et les rapporter à Sourisia !

Je murmurai :

– Dommage que **KARINA von FOSSILEN** ne soit pas là. Savoir où elle est passée !

LE MONDE PERDU

Les dinosaures ont fait leur apparition il y a environ 250 millions d'années, au cours de la période TRIASIQUE.

Les premiers dinosaures étaient de petits carnivores, aussi hauts qu'un chien-loup, mais ils pouvaient se tenir debout et couraient très vite. Grâce à ces caractéristiques, ils l'emportèrent sur les reptiles qui, avant eux, peuplaient la Terre. C'est après, seulement, qu'apparurent les premiers herbivores, qui étaient beaucoup plus grands. Au début du JURASSIQUE, il y a environ 200 millions d'années, les dinosaures grandirent, de plus en plus nombreux et variés. Apparurent ainsi les sauropodes, herbivores gigantesques, au cou et à la queue très longs, tels le *Diplodocus* et le *Brachiosaurus* ; les stégosaures, herbivores cuirassés portant des plaques osseuses le long du dos et de longs piquants à l'extrémité de leur forte queue, tel le *Stegosaurus* ; divers types de carnivores de petite et grande tailles, comme l'*Allosaurus* ; des reptiles volants, comme le *Pterodactylus*, avec d'amples ailes for-

DIPLODOCUS

BRACHIOSAURUS

DES DINOSAURES

mées d'une membrane, semblable à celles des chauves-souris actuelles.

Au début du CRÉTACE, il y a quelque 144 millions d'années, on assista au développement des dinosaures herbivores et carnivores : ce fut le moment où apparut le terrible *Tyrannosaurus Rex*.

Mais, après avoir dominé la Terre pendant cent soixante millions d'années, les dinosaures disparurent brusquement. Pourquoi ? Les savants ont avancé diverses hypothèses :

– la Terre fut frappée par une météorite ;

– il y eut un fort changement climatique, peut-être causé par une éruption volcanique ;

– au début du crétacé se répandirent des mammifères qui se nourrissaient d'œufs de dinosaures.

La seule certitude est qu'à la fin du crétacé ne survécurent que de petits oiseaux, des amphibiens, des animaux marins et de petits mammifères, dont l'évolution a conduit à l'apparition de l'Homme.

TYRANNOSAURUS

STEGOSAURUS

LES DINOSAURES

Il y a environ 130 millions d'années, le désert de Gobi était une région avec de grands lacs et des fleuves, peuplée d'animaux, riche de plantes et d'arbres variés.

C'est pourquoi dans cette partie du monde, aujourd'hui désertique, on trouve de nombreux fossiles : non seulement des squelettes de dinosaures, mais aussi des fossiles de poissons, de tortues, des œufs de reptiles non éclos et des restes de petits qui viennent de naître. À Troogrik, on a même mis au jour le fossile d'un *Velociraptor*, un prédateur carnivore qui, entre ses pattes, étreint encore sa proie, un *Protoceratops* : sans doute sont-ils tous deux morts en combattant et c'est ainsi que leurs corps ont été conservés ensemble à travers les siècles.

Il s'agit là de découvertes très importantes, qui ont contribué à accroître notre connaissance de ces animaux extraordinaires !

EN MONGOLIE

SQUELETTE DE TARBOSAURUS

L'un des dinosaures les plus connus est le *Tarbosaurus*, qui peut être considéré comme le cousin asiatique du *Tyrannosaurus Rex* américain, auquel il ressemble beaucoup. Ce carnivore bipède, possédant des pattes antérieures plus petites que les postérieures, atteignait 10 à 12 mètres de longueur et vivait dans le désert de Gobi : on y a retrouvé divers restes, un très rare squelette complet, et même des fossiles de peau bien conservés, qui font de ces découvertes un événement absolument exceptionnel.

SEUL
DANS L'IMMENSE
DÉSERT DE GOBI

Nous travaillâmes un JOUR et une NUIT. À l'aube, nous plaçâmes les os dans une caisse de BOIS que nous fermâmes avec un cadenas. Mes amis allèrent chercher de l'aide pour transporter la caisse, et je restai pour monter la garde.

J'étais seul... seul... seul... Les jours passèrent, et mes amis me manquaient beaucoup !

Pour tuer le temps…

1. *je relus 103 fois le Guide de la Mongolie !*

2. *je me racontai plein de blagues !*

3. *je chantai toutes les chansons que je connaissais !*

4. *je me récitai un tas de poésies !*

5. quand me vint l'envie de *compter tous les grains de sable de la dune,* je compris que je n'en pouvais plus d'être seul !

Je n'en peux plus d'être seul !

QUE MANGEAIENT...
LES TARBOSAURES ?

C'est à ce moment précis que le soleil couchant projeta une **OMBRE** sur le sable.

Je me retournai... et découvris la charmante **KARINA VON FOSSILEN** !

Elle me sourit.

– Monsieur Stilton ! Compliments pour avoir retrouvé ce précieux squelette de tarbosaure. Vous êtes très fort !

Je rougis, tout ému, pendant qu'elle fixait sur moi ses merveilleux yeux bleus.

– Je vais vous révéler un secret, je suis ici en mission spéciale pour le *musée d'Histoire naturelle* de Sourisia ! Je devais *justement* retrouver ce squelette. Donnez-moi la clef du cadenas, je m'occupe de tout.

Elle tendit la main et j'allais lui remettre la clef, car j'étais incapable de refuser quoi que ce soit à une rongeuse si spéciale… quand mon téléphone portable sonna :

– **Drinng ! Drinng ! Drinng !**

Je dis :

– Excusez-moi, madame **VON FOSSILEN**, on m'appelle de Sourisia. Allô ? ici Stilton, *Geronimo Stilton !*

93

C'était Patty Spring :

– Allô, G ? C'est toi ? G, j'ai mené mon **ENQUÊTE** au MUSÉE D'HISTOIRE NATURELLE… Madame **VON FOSSILEN** n'est pas en voyage, je sors de son bureau. La rongeuse que tu as rencontrée est… une usurpatrice !

Je pâlis et murmurai :

– Tu en es sûre ?

Patty hurla :

– Aussi sûre que je m'appelle PATTY SPRING !

Puis elle me demanda :

– Elle est avec toi ? Mets-la à l'épreuve… Pose-lui une question : *que mangeaient les tarbosaures ?*

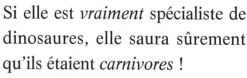

Si elle est *vraiment* spécialiste de dinosaures, elle saura sûrement qu'ils étaient *carnivores* !

Je raccrochai.

Je me sentais idiot, mais je décidai de poser la question :

Pose-lui une question…

– Euh, pardonnez-moi, madame **VON FOSSILEN**, mais j'aimerais que vous me disiez *ce que mangeaient les tarbosaures…*

Elle répondit de manière évasive :

– Je vous expliquerai cela une autre fois, monsieur Stilton. Pour l'instant, donnez-moi la **CLEF** de la caisse.

J'insistai :

– S'il vous plaît, madame, répondez à ma question : *que mangeaient les tarbosaures ?*

Elle PLISSA les yeux et siffla :

– Je n'ai pas de temps pour ces enfantillages, monsieur Stilton ! Donnez-moi la clef !

– Pour la troisième et dernière fois, madame, je vous demande : *que mangeaient les tarbosaures ?*

Elle se tut et je compris qu'*elle ne connaissait pas la réponse !!!*

Que mangeaient les tarbosaures ?

Je **m'écriai**, indigné :

– Vous n'êtes pas Karina von Fossilen… *Qui êtes-vous donc ?*

À ce moment précis, je reçus un terrible **COUP** sur la tête.

 Je vis tout en noir, *comme* si la **NUIT** était tombée brusquement…

Puis je tombai à terre, *comme* une BOULE DE NEIGE qui fond au soleil…

Quand je revins à moi, j'étais ficelé *comme* un SAUCISSON !

ENFIN,
JE T'AI DÉMASQUÉE :
TU ES…

Ogotaï sortit de derrière un camion : il tenait à la patte un OS ÉNORME.

– Noble Dame, êtes-vous satisfaite du coup que j'ai assené sur la tête du Noble Voyageur ?

Je hurlai :

– Ogotaï ! Tu es un TRAÎTRE !

Il s'inclina d'un air rusé.

Êtes-vous satisfaite du coup sur la tête ?

– Noble Voyageur, l'humble OGOTAÏ ne connaît pas le sens du mot « traître ». Je me suis contenté de servir ma Noble Dame *(qui me paye fort bien !)*.

La prétendue madame **VON FOSSILEN** me regardait fixement, d'un air de triomphe.

– Ogotaï travaille pour moi. Je vous ai suivis 🐾🐾 🐾 🐾🐾, car je savais que vous me conduiriez jusqu'au squelette du tarbosaure.

J'avais la tête qui tournait tournait tournait tournait tournait tournait tournait tournait tournait tournait tournait…

– Mais qui êtes-vous vraiment ? demandai-je.

Elle sourit sous ses moustaches.

– Ah, tu ne m'as pas encore reconnue, Geronimo ?

Elle retira son veston couleur **KAKI**, dévoilant une **COMBINAISON NOIRE** moulante.

Elle détacha ses longs et souples cheveux blonds…

Elle retira ses lunettes et me fixa de ses merveilleux yeux bleus…

Et c'est alors seulement que je la reconnus…

Je m'écriai :

– Je t'ai démasquée ! Tu es **OMBRE** !

Elle lissa ses cheveux, satisfaite.

Ombre

Elle est la mystérieuse cousine de Sally Rasmaussen (directrice de *La Gazette du rat* et ennemie numéro 1 de Geronimo). Ombre est une rongeuse charmante mais sans scrupule, et elle est prête à tout pour s'enrichir. Spécialiste du déguisement, elle connaît tous les trucs pour passer inaperçue.
Geronimo l'a rencontrée dans son aventure *Le Mystérieux voleur de fromage*.

– Eh bien oui, je suis **Ombre**. Une fois de plus, je t'ai fait tomber dans mon piège. Je sais que tu ne peux pas résister à mon charme…

Je **rougis**. Mais, cette fois, c'était de **honte**. C'est vrai, chaque fois que je la rencontrais, elle parvenait à me faire jouer le rôle du **niGauD** !

Elle ricana :

– Veux-tu savoir ce que je vais faire de ce squelette de tarbosaure ? Je vais le vendre à un collectionneur sans état d'âme. Avec ce coup-là, je vais empocher le pactole !

J'étais indigné :

– OMBRE, tu ne penses donc pas à la science ? Ce squelette pourrait aider les paléontologues à résoudre les mystères des dinosaures et du monde préhistorique !

Elle haussa les épaules.

– Pfff, toujours aussi idéaliste. Moi, tout ce que je veux, c'est devenir riche, très riche même !

Tout semblait perdu, quand je sentis le sol VIBRER...

LES « ESPRITS DE LA MONGOLIE » ARRIVENT !

Le sol continuait à VIBRER et un nuage de POUSSIÈRE s'éleva dans le lointain : *quelqu'un arrivait à cheval !*

D'abord, je vis Téa, **Traquenard** et *Benjamin*, puis **Tagik**, **Helela**, **Wanana** et **Makido** et plein d'autres amis mongols !

Ils montaient d'étranges chevaux bas sur pattes et robustes, avec une crinière courte et épaisse.

Geronimo... ... courage !

Je les reconnus : c'étaient les chevaux de Przewalski, encore appelés *takhi*, ou « Esprits de la Mongolie » !

Le chef de la tribu descendit de cheval et se tourna vers **OMBRE**.

– Étrangère, nous ne te permettrons pas de voler le **squelette géant** ! Il appartient à notre terre. Nous ne le remettrons qu'aux scientifiques qui l'étudieront pour découvrir les mystères des **dinosaures** géants qui ont vécu dans la région il y a des millions et des millions d'années ! C'est ce qu'auraient souhaité nos ancêtres... et il en sera ainsi !

DES INSECTES QUI VALENT... DE L'OR !

On emmena **OMBRE** et **OGOTAÏ**.

En signe d'amitié, le chef de la tribu mongol offrit à chacun des Stilton un pendentif qui brillait au soleil.

Traquenard marmonna, indifférent :

– Merci, hum, fallait pas se déranger…

Dès que le chef se fut éloigné, il **soupira** :

– Pfff, on s'est donné tout ce mal pour rien !

Beaucoup de gloire… mais pas de *TRÉSOR*

pour le pauvre Traquenard ! Rien d'autre que ce

caillou !

Il allait le jeter, quand Téa cria :

– Cousin, tu allais jeter une petite fortune !

Il hurla :

– Quoiiiii ? Ce caillou vaut une fortune ?

Téa le lustra en le frottant sur sa manche.

– C'est un fragment d'ambre bleu. Regarde bien.

Vois-tu comme il brille de reflets

BLEUS ? C'est le type d'ambre le

plus précieux. Et ce n'est pas seulement

parce que c'est de l'ambre, mais parce

qu'il contient des fossiles ! Observe

bien le pendentif : il renferme un insecte

fossilisé, c'est-à-dire emprisonné à jamais dans

l'ambre !

Dès qu'il comprit qu'il avait reçu un cadeau de très grande valeur, Traquenard improvisa une petite danse.

– Waouh ! *Riche riche riche, je suis devenu riche !*

Benjamin sourit, puis embrassa Wanana et Makido.

– Moi aussi, j'ai trouvé un TRÉSOR qui vaut plus que l'OR : les amis que j'ai rencontrés au cours de cette aventure ! Il est facile de reconnaître un VÉRITABLE AMI... Il t'écoute quand tu as besoin de parler, il te donne des conseils sincères, il te dit toujours ce qu'il pense, il partage avec toi les moments les plus heureux, mais aussi ceux qui sont DIFFICILES, et il te console quand tu es triste !

L'AMBRE est un minéral organique formé à partir de la résine de conifères préhistoriques. Il contient des insectes et des plantes parfaitement conservés. C'est pourquoi dans l'Antiquité, l'ambre était considéré comme une pierre au pouvoir magique : on croyait qu'il contenait le principe de la vie ! Sa couleur varie du jaune au brun, avec des nuances qui vont de l'azur au violet, au vert d'eau ou au bleu. L'ambre bleu est d'une qualité très rare.

Le véritable trésor, c'est...

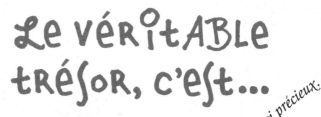

Un véritable ami... est rare... et donc aussi précieux... qu'un trésor !

... L'Amitié !

Mais quand...

tu le rencontres...

tu le reconnais...

et tu ne le quittes plus !!!

LA VÉRITABLE KARINA
VON FOSSILEN !

Dès notre retour à Sourisia, nous téléphonâmes à la véritable madame **VON FOSSILEN**.
Nous chargeâmes dans un camion les caisses contenant les os du **squelette** de tarbosaure et allâmes aussitôt la trouver dans son bureau, au *musée d'Histoire naturelle*.

Madame von Fossilen vint à notre rencontre en souriant.

– Bonjour, monsieur Stilton ! Je suis heureuse de faire votre connaissance !

Moi aussi, je S O U R I S et je lui fis le baise-patte (je suis un véritable *noblerat,* je baise toujours la patte des dames !).

Puis j'expliquai :

– Madame von Fossilen, au nom de la *famille Stilton,* je suis heureux de vous remettre le squelette géant que nous avons trouvé dans le désert de Gobi, en Mongolie. J'espère que cela permettra à la science de faire des P R O G R È S pour mieux connaître la véritable histoire des dinosaures, qui présente encore tant de mystères !

Madame von Fossilen me *remercia* :

– Monsieur Stilton, la découverte que vous avez faite en Mongolie sera d'un grand secours pour l'étude des dinosaures. Il y a tant de malhonnêtes qui trouvent des matériaux scientifiques et qui, au lieu des les remettre aux autorités, en profitent pour faire de l'argent. J'apprécie grandement l'*honnêteté* de votre famille ! Ces os valent une fortune, on pourrait les considérer comme un véritable... trésor !

Traquenard soupira :

– Eh oui, un véritable trésor !

Elle nous expliqua qu'elle allait faire monter le squelette sur une armature de *MÉTAL*, pour reconstituer le squelette du tarbosaure.

J'apprécie grandement votre honnêteté !

En outre, elle ferait apposer une P L A Q U E expliquant que le squelette avait été offert par la famille Stilton : nos noms y seraient gravés !

Traquenard se *pavana* :

– Waouh, il y aura mon nom dans le musée ? Enfin, tous mes amis sauront que je suis une souris célèbre !

Benjamin me tira par la veste.

– Sur la plaque, il ne faudrait inscrire qu'un seul nom, celui d'ONCLE COLORADO ! Après tout, c'est lui qui a fait cette découverte !

Je souris et embrassai mon neveu.

BENJAMIN AVAIT RAISON...

...COMME TOUJOURS !

SQUELETTE
DE
TARBOSAURE

Vive l'oncle Colorado Stilton !

Quand, un mois plus tard, le squelette fut prêt, le musée inaugura la salle qui était consacrée à cette importante découverte scientifique.

CETTE SALLE

EST DÉDIÉE À LA MÉMOIRE

DE COLORADO STILTON,

DIT LE VAGAMONDE, QUI DÉCOUVRIT

LE SECRET DE LA VALLÉE

DES SQUELETTES GÉANTS.

Je fus très ému en découvrant la plaque.

Je murmurai :

– Oncle Colorado, ta famille, la *famille Stilton*, ne t'a pas oublié !

Avec le maire de Sourisia, madame **VON FOSSILEN** et tous les autres invités, nous portâmes un toast avec le fromage mousseux, en criant en chœur :

VIVE L'ONCLE COLORADO STILTON !

TABLE DES MATIÈRES

Geronimo Stilton

DANS LA MÊME COLLECTION

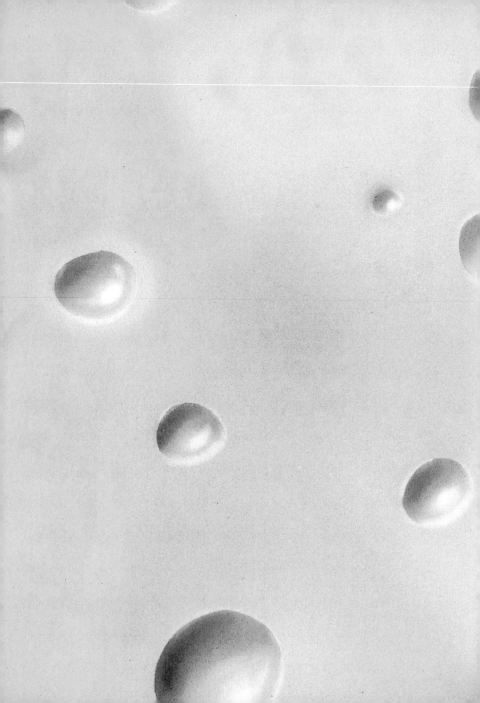

L'ÉCHO DU RONGEUR
1. Entrée
2. Imprimerie (où l'on imprime les livres et le journal)
3. Administration
4. Rédaction (où travaillent les rédacteurs, les maquettistes et les illustrateurs)
5. Bureau de Geronimo Stilton
6. Piste d'atterrissage pour hélicoptère

Sourisia, la ville des Souris

Île des Souris

Au revoir, chers amis rongeurs, et à bientôt
pour de nouvelles aventures.
Des aventures au poil, parole de Stilton, de...

Geronimo Stilton